Las zapatillas de cristal

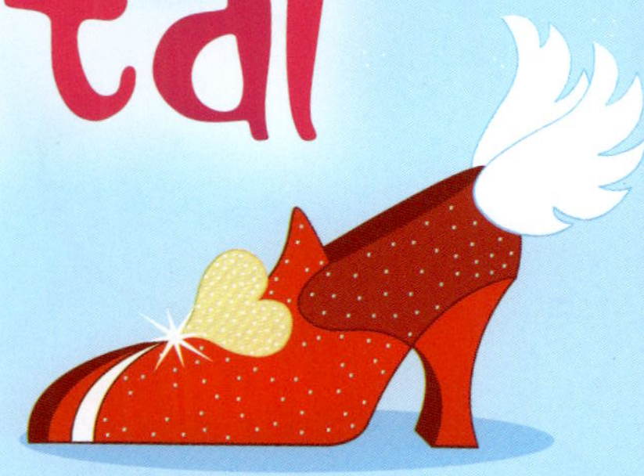

Escrito por Sharon Callen

Ilustrado por Claire Chrystall

Lee Aucoin, *Directora creativa*
Jamey Acosta, *Editora principal*
Heidi Fiedler, *Editora*
Producido y diseñado por
Denise Ryan & Associates
Ilustraciones © Claire Chrystall
Traducido por Santiago Ochoa
Rachelle Cracchiolo, *Editora comercial*

Teacher Created Materials
5301 Oceanus Drive
Huntington Beach, CA 92649-1030
http://www.tcmpub.com
ISBN: 978-1-4807-4039-6
© 2015 Teacher Created Materials

I0881387

Había una vez una chica amable y hermosa llamada Cinder. Tenía dos hermanastras que no eran amables ni hermosas.

A las hermanastras de Cinder les gustaban las ropas y las fiestas lujosas. Cinder tenía que quedarse siempre limpiando la casa.

Algunas veces, deseaba vestirse con ropas lujosas e ir a fiestas lujosas. Pero nunca se quejaba.

Un día, llegó una invitación del príncipe Encantador. ¡Las hermanastras habían sido invitadas a una fiesta en el palacio!

El día de la fiesta, las hermanastras se pusieron sus ropas más lujosas y dejaron a Cinder limpiando la casa mientras ellas se iban.

—¡Disfruta de la limpieza! —se rieron—. ¡Asegúrate de hacer un gran trabajo!

Poco después de salir a la fiesta, destelló una luz. El hada madrina de Cinder aterrizó en el piso de la cocina.

—¡Oh! Algo salió mal —dijo el hada madrina mientras se ponía de pie—. ¡Hice un verdadero desastre! —luego, agitó la vara mágica y la casa quedó limpia.

—Vengo a ayudarte a preparar para la fiesta —dijo el hada madrina a Cinder—. Primero, necesitarás un lindo vestido.

¡Zas!

—Y tenemos que peinarte.

¡Zas! ¡Zas!

—Y ahora vendrá algo muy especial. ¡Un par de lujosas zapatillas de cristal!

¡Zas! ¡Zas! ¡Zas!

—¡Oh! No funcionó —dijo el hada madrina—. Los tacones son muy altos. Me temo que apenas estoy aprendiendo a hacer zapatillas de cristal.

Entonces lo intentó de nuevo.

¡Zas!

Las zapatillas eran muy grandes.

¡Zas! ¡Zas!

Las zapatillas eran muy pequeñas.

¡Zas! ¡Zas! ¡Zas!

Las zapatillas eran perfectas.

—¡Vaya! —dijo Cinder—. ¡Zapatillas de cristal con alas!

—Estas zapatillas son muy especiales. Te llevarán volando a la fiesta. Y te traerán a casa a medianoche. Eres amable y hermosa. Espero que disfrutes la fiesta —dijo el hada madrina.

Luego movió la vara, las zapatillas de cristal agitaron las alas y llevaron a Cinder al palacio.

Cinder bailó toda la noche con el príncipe Encantador. Pero cuando el reloj dio las doce, las zapatillas agitaron las alas y algo salió mal.

Cinder comenzó a volar cada vez más rápido alrededor del salón.

De repente, hubo un destello de luz y un fuerte ruido. El hada madrina aterrizó en el salón.

—Algo salió mal —dijo mientras se ponía de pie. Luego, agitó la vara mágica y Cinder aterrizó de nuevo en el piso.

Cinder se sentía muy mareada. Pero el príncipe dijo:

—Eres muy amable y hermosa —y la condujo al trono.

—No, no lo es —se rieron las hermanastras—. Nosotras somos mucho más amables y hermosas.

Pero el hada madrina sabía que no eran amables, así que agitó tres veces la vara y unas zapatillas diferentes aparecieron en los pies de las hermanastras. ¡Eran zapatillas de cristal con ruedas!

Las hermanastras patinaron cada vez más rápido alrededor del salón. No podían parar.

¡Y quién sabe, es probable que todavía sigan allá!